Be a Virus Warrior!

Tous unis contre les virus!

Helping Out
Mission entraide

Text / Texte : Eloise Macgregor
Illustrations: Alix Wood

CRACKBOOM!

CrackBoom! Books is an imprint of Chouette Publishing (1987) Inc.
CrackBoom! Livres est une marque de commerce appartenant aux Éditions Chouette (1987) inc.

Written by Eloise Macgregor
Designed and illustrated by Alix Wood
Published in 2020 by Alix Wood Books
Copyright © 2020 Alix Wood Books

Écrit par: Eloise Macgregor
Conception graphique et illustrations: Alix Wood
Publié en 2020 par Alix Wood Books
Copyright © 2020 Alix Wood Books

Chouette Publishing would like to thank the Government of Canada and SODEC
for their financial support. / Les Éditions Chouette remercient le Gouvernement du Canada et la
Société de développement des entreprises culturelles du Québec (SODEC) de leur soutien financier.

Canada

Québec
Crédit d'impôt
livres
Gestion
SODEC

MIX
Paper from responsible sources
Papier issu de sources responsables
FSC® C103304

Printed in/Imprimé à Scott, Canada
10 9 8 7 6 5 4 3 2 1   CHO2107 AUG2020

Contents / Sommaire

Be a helping hero!
Tu peux être un vrai héros !

Challenging times need heroes. A **virus** called **coronavirus** is spreading. It can make people sick with an illness called **COVID-19**.

Une nouvelle forme de **coronavirus** se propage actuellement, appelée **COVID-19**. Elle peut rendre les gens très malades. Dans ce contexte difficile, le monde a besoin de héros comme toi.

Feel helpless? You're not! Grab your hero cape and be a helpful Virus Warrior.

Tu te sens impuissant ? Sache que tu as en toi une force immense pour lutter contre ce virus. Prêt à enfiler ta cape de héros ?

Just staying inside makes you a hero! You are helping to save lives by stopping the virus from spreading!

Rester à la maison est déjà un acte héroïque ! Ainsi, tu contribues à sauver des vies en arrêtant la propagation du **virus** !

Your life might not be great. You may miss your friends, and be bored. You may even be bored of your family!

Peut-être que tu ne trouves pas ta vie très excitante en ce moment. Tes amis et certains membres de ta famille doivent te manquer. Parfois, tu t'ennuies.

Virus Warriors try to not let that bother them.

Mais le héros qui est en toi ne va pas se laisser abattre.

Be a germ exterminator
Sois un exterminateur de germes

The best way to stop a virus from spreading is to wash your hands.

La meilleure façon d'empêcher un virus de se propager est de se laver les mains.

Wet your hands.
Mouille tes mains.

Add soap.
Applique du savon.

Rub your palms together.
Frotte tes paumes l'une contre l'autre.

Clean between your fingers.
Frotte entre tes doigts.

Clean the backs of your hands.
Frotte le dos de tes mains.

Clean your thumbs...
Frotte bien autour de tes pouces...

...and fingernails.
... et de tes ongles.

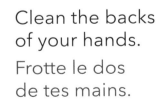

Clean your wrists.

Lave aussi tes poignets.

Rinse...

Rince tes mains sous l'eau...

...and dry.

... et sèche bien.

Got a little brother or sister?
Help them wash their hands, too.

As-tu des frères et sœurs plus jeunes
que toi ? Tu peux les aider aussi
à se laver les mains.

Help around the house
Participe à la vie de la maison

Be a hero by helping the people close to you. There are plenty of things you can do. Helping makes you feel proud and happy.

Il y a plein de choses que tu peux faire pour aider ta famille : cela te rendra heureux et fier !

Keep your room tidy.

Range ta chambre.

Be **responsible** for looking after your pets.

Sois **responsable** envers tes animaux de compagnie : prends soin d'eux.

Ask if you can help take care
of younger family members.

Tu peux aider à prendre soin des plus
jeunes membres de la
famille.

Read to younger
siblings, or play
with them.

Joue avec eux ou
lis-leur un livre.

Offer help to people
who need it.

Propose ton aide si tu
vois qu'un membre de
ta famille en a besoin.

Be understanding
Sois empathique

Your family may have lots to worry about right now.
Being a grown-up isn't easy. Try to be considerate.

Ta famille a peut-être beaucoup de préoccupations en tête en ce moment.
Être adulte, c'est avoir beaucoup de responsabilités. Essaie de faire preuve de compréhension.

Don't like your meal? It's hard to please everyone, especially when shopping is difficult.

Tu n'aimes pas ton repas ? Il est parfois compliqué de faire plaisir à tout le monde, surtout quand on n'a pas pu faire les courses.

Try your best to enjoy your meal.
It was made with love.

Essaie de l'apprécier quand même.
Il a été préparé avec amour.

If your school is closed, your parents may be trying to teach you.

Si ton école a fermé, tes parents essaient peut-être de t'enseigner des choses.

They may not be good at it!

Ils ne sont peut-être pas bons dans ce domaine !

Be patient and try your best.
Fais preuve de patience et de coopération.

Is anyone at home sad or grumpy? Give them a hug.

Quelqu'un est-il triste ou grincheux à la maison ? Fais-lui un câlin.

A little love can make a big difference.

Un peu d'amour peut faire une grande différence.

Cheer up your neighbourhood
Égaye ton quartier

Can you find ways to make your corner of the world a happier place?

Voici quelques idées pour rendre ton quartier plus joyeux.

Do you live on a busy street?
Put a picture in your window to cheer up **passers-by**.

Habites-tu dans une rue animée ?
Mets un dessin sur ta fenêtre pour faire sourire les **passants**.

Or chalk a game on the sidewalk for people to play.

Ou dessine un jeu à la craie sur ton trottoir pour que les gens y jouent.

Paint cheerful designs on pebbles. When you go for a walk, leave them for people to find. You'll make your neighbours smile.

Fais des dessins colorés sur des galets. Lorsque tu pars te promener, dépose-les sur ton chemin pour que les gens les trouvent. Ça les fera sourire.

Ask if you can bake some cookies. Then put them in bags on a table outside for people to help themselves.

Demande à un adulte de cuisiner des biscuits avec toi. Puis, mets-les dans des sacs sur une table à l'extérieur pour que les gens puissent les prendre.

FREE COOKIES
BISCUITS GRATUITS

Help yourself!
Servez-vous !

Can you think of any more ideas?
As-tu d'autres idées ?

Reach out to others
Tends la main aux autres

If people in your **community** are having a bad time, there may be things you can do to help.

Si les gens de ta **communauté** passent un mauvais moment, il y a peut-être des choses que tu peux faire pour les aider.

If there is a **care home** near you, why not write a letter to someone there?

S'il y a une **maison de soins** près de chez toi, tu pourrais écrire une lettre à quelqu'un là-bas.

Or bake a cake for a neighbour who lives alone.

Ou faire un gâteau pour un voisin qui vit seul.

Ask your parents if your family can offer to do a neighbour's shopping.

Demande à ta famille si vous pouvez faire les courses pour un voisin qui vit seul.

bread   pain

milk   lait

Wave and smile when you see people at their windows.

Salue et souris en passant devant les fenêtres des gens.

Are any of your friends feeling sad? Keep in touch.
Knowing you're thinking about them will cheer them up.

Certains de tes amis te semblent-ils tristes ? Contacte-les !
Le fait que quelqu'un pense à eux peut leur remonter le moral.

15

Give people time and space
Accorde du temps et de l'espace à chacun

Everyone needs time to themselves. If you have a large family, or live in a small space, that can be difficult!

Chacun a besoin de temps pour soi. Si tu as une grande famille ou vis dans un petit espace, cela peut vite être difficile.

You can be a hero just by entertaining yourself for a bit.

Tu peux être d'une grande aide en t'occupant seul pendant un moment.

If someone in your family is working or sleeping, find something quiet to do. Do a puzzle, read a book, or play a computer game.

Si un membre de ta famille travaille ou dort, occupe-toi calmement : fais un puzzle, lis un livre ou joue à un jeu sur ton ordinateur.

Be kind to yourself, too. Take time to do something you love.

Sois bienveillant envers toi-même : prends le temps de faire des choses qui te font plaisir.

17

Being bored is boring!
S'ennuyer, c'est nul

You can always think of something to do, if you try. Challenge yourself!

Il y a toujours quelque chose d'intéressant à faire si tu prends le temps d'y réfléchir. Relève le défi !

Make butter! How? Pour some cream into a jar. Screw the lid on tightly. Shake the jar. Keep shaking! After about an hour you'll see lumps of butter. Strain off the buttermilk. Add salt to taste.

Fais du beurre ! Comment ? Mets de la crème dans un pot. Mets le couvercle. Secoue le pot. Continue à secouer ! Après environ une heure, tu verras des morceaux de beurre. Tamise le babeurre. Ajoute du sel au goût.

Use the buttermilk to make pancakes.

Utilise le babeurre pour faire des crêpes.

18

Pick up a pencil with your toes and try to draw with it. Can you?

Prends un crayon avec tes orteils. Peux-tu dessiner quelque chose ?

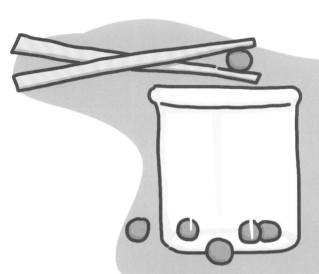

How many fresh peas can you move from one jar to another in a minute? Too easy? Use chopsticks!

Combien de petits pois peux-tu faire passer d'un pot à l'autre en une minute ? Trop facile ? Utilise des baguettes !

How many times can you throw and catch a ball?

Combien de fois d'affilée peux-tu lancer et attraper une balle ?

10? 20? 100?

Try doing a **sponsored** silence to raise funds for a good cause.

Organise un silence **parrainé** pour soutenir une association.

19

Spread the love
Répands l'amour

There are people helping you right now. Why not thank them? Make a picture for your letter carrier and put it in your window.

Il y a des gens qui nous aident en ce moment. Tu peux les remercier en leur faisant par exemple un dessin que tu mettras à ta fenêtre.

Thank you for my mail!
Merci pour mon courrier !

Thank you!
Merci !

Thank the garbage collectors, too.
Merci aussi aux éboueurs.

It's nice to receive **compliments**. They can cheer up your day.

C'est agréable de recevoir des **compliments**. Ils peuvent embellir ta journée.

If you like someone's hair, tell them so.

Si tu admires les cheveux de quelqu'un, dis-le-lui.

Great hair!
J'adore tes cheveux !

If you admire someone's kindness, tell them.

Si tu apprécies la gentillesse de quelqu'un, dis-le-lui.

You're so kind.
Tu es si gentil.

Are you a Virus Warrior?
Es-tu un champion antivirus ?

Try this quiz and see if you have the power to battle a virus! (The answers are at the bottom of page 24.)

Fais ce test et vois si tu as le pouvoir de combattre un virus! (Les réponses se trouvent au bas de la page 24.)

1. Which of these helps stop coronavirus from spreading?
   a) eating cookies
   b) staying indoors
   c) having a party

2. What should you do if you don't like your meal?
   a) cry
   b) be mean
   c) smile and eat it anyway

1. Laquelle de ces mesures aide à arrêter la propagation du coronavirus ?
   a) manger des biscuits
   b) rester à la maison
   c) participer à une fête

2. Que devrais-tu faire si tu n'aimes pas ton repas ?
   a) crier
   b) être méchant
   c) essayer de l'apprécier quand même

3. When is a good time to play quietly?
   a) if someone is trying to work or sleep
   b) 11 a.m.
   c) when you are singing

4. What could you do to cheer someone up?
   a) phone them
   b) write them a letter
   c) both a and b

3. Quel est le bon moment pour jouer tranquillement?
   a) quand quelqu'un essaie de travailler ou de dormir
   b) 11 heures
   c) quand tu chantes

4. Que pourrais-tu faire pour remonter le moral à quelqu'un?
   a) lui téléphoner
   b) lui écrire une lettre
   c) a et b

Your helping-hero skills will be really useful once everything is back to normal, too. Everyone loves a helpful person!

Ton aide et ton empathie seront également très utiles une fois que tout sera redevenu normal. Tout le monde aime une personne serviable!

What do these words mean?

Care home: a place providing care for people who are unable to look after themselves

Community: a group of people living in the same place

Compliments: polite expressions of praise or admiration

Coronavirus: a type of virus

COVID-19: a new illness caused by the coronavirus that affects the lungs

Passers-by: people who happen to go past something, usually on foot

Responsible: taking charge of something

Sponsored: being supported by a person, organization, or activity by giving money, encouragement, or other help

Virus: tiny infectious agents that can grow and multiply in living cells, and cause diseases in plants, animals and human beings

Answers/Réponses : 1 b, 2 c, 3 a, 4 c

Que signifient ces mots ?

Communauté : un groupe de personnes vivant au même endroit.

Compliments : expressions polies de louange ou d'admiration

Coronavirus : un type de virus

COVID-19 : une nouvelle maladie à coronavirus qui affecte particulièrement les poumons

Maison de soins : un lieu qui accueille les personnes incapables de prendre soin d'elles-mêmes

Parrainé : pour soutenir une personne, une organisation ou une activité en donnant de l'argent, des encouragements ou toute autre aide

Passants : les gens qui circulent dans la rue, généralement à pied

Responsable : être celui qui prend en charge quelque chose

Virus : de minuscules agents infectieux qui peuvent se développer et se multiplier dans les cellules vivantes et provoquer des maladies chez les plantes, les animaux et les humains